Collection

malins plaisirs

Des livres qui me

Gouvernement du Québec – Programme de crédit d'impôt
pour l'édition de livres – Gestion Sodec

info@lesmalins.ca

Éditeur : Marc-André Audet
Conception graphique et montage : Energik Communications

Dépôt légal – Bibliothèque et Archives nationales du Québec, 2010
Dépôt légal – Bibliothèque et Archives Canada, 2010

ISBN : 978-2-89657-095-9

Imprimé en Chine

Les éditions Les Malins inc.
1447, rue Wolfe
Montréal (Québec)
H2L 3J5

Plats mijotés

70 recettes à cuire lentement, au four ou à la mijoteuse!

Par Marie-Jo Gauthier

Table des matières

Introduction

La collection Malins Plaisirs propose des livres de recettes ui vous mettront l'eau à la bouche! Des recettes originales à la portée de tous, de superbes photos et des sujets variés : une collection parfaite pour toutes les cuisines, et toutes les bouches!

Qu'il soit préparé à la mijoteuse ou au four, le plat mijoté est une façon simple et délicieuse de préparer un repas savoureux et réconfortant. Légumes, soupes, ragoûts ou pièces de viande : les possibilités sont infinies.

Voici un livre qui vous permettra d'explorer et de faire découvrir l'art de prendre son temps et de partager un bon repas entre amis ou en famille!

Bon appétit!.

Certaines des recettes qui suivent se cuisinent au four, d'autres à la mijoteuse. Vous pouvez adapter les recettes à la mijoteuse pour le four, et vice-versa. Pour ce faire, vous trouverez au bas de cette page un tableau de cuisson auquel vous pourrez vous référer pour adapter les recettes à votre guise.

Attention : comme les liquides s'évaporent beaucoup plus au four qu'à la mijoteuse, nous vous conseillons de garder un œil sur la cuisson pour pouvoir ajuster la quantité de liquide nécessaire, surtout pour les viandes.

Pour les temps de cuisson à la mijoteuse, vous remarquerez qu'ils sont souvent indiqués comme ceci : de 4 à 6 heures. De 6 à 8 heures. Nous avons laissée une marge de deux heures pour la simple et bonne raison que chaque mijoteuse cuit les aliments à une vitesse et une force différente. Nous vous conseillons donc de jeter un coup d'œil à votre mijoteuse après le plus petit nombre d'heures indiqué lorsque vous effectuez la recette pour la première fois.

FOUR	MIJOTEUSE TEMPÉRATURE ÉLEVÉE	MIJOTEUSE BASSE TEMPÉRATURE
15 À 30 MIN.	1 ½ À 2 H	4 À 6 H
35 À 45 MIN.	3 À 4 H	6 À 10 H
50 MIN. À 3 H	4 À 6 H	8 À 18 H

Pacanes à la cajun

Ingrédients

- 2 tasses de pacanes
- 4 c. à soupe de beurre fondu
- 1 c. à soupe de chili en poudre
- 1 c. à thé de sel
- 1 c. à thé de basilic séché
- 1 c. à thé d'origan séché
- 1 c. à thé de thym séché
- 1/2 c. à thé de poudre d'oignon
- 1/4 de c. à thé de poudre d'ail
- 1/4 de c. à thé de poivre de Cayenne

Placer tous les ingrédients dans la mijoteuse.

Couvrir et laisser mijoter 15 minutes à température élevée.

Retirer le couvercle et réduire à feu doux.

Laisser mijoter 2 heures en brassant de temps à autre.

Placer les noix sur une tôle et laisser refroidir.

Servir.

Trempette au fromage et aux artichauts

Ingrédients

- 1 tasse de parmesan râpé
- 1 tasse de mozzarella râpée
- 1 tasse de mayonnaise
- 1 tasse de cœurs d'artichauts égouttés et coupés en morceaux
- 1 oignon haché

Dans un bol, mélanger tous les ingrédients.

Graisser le fond de la mijoteuse.

Y placer le mélange, couvrir et laisser mijoter 1 heure à température élevée.

Servir avec du pain, des légumes et des craquelins.

Trempette au fromage et aux artichauts

Trempette fromage bacon

Ingrédients

16 tranches de bacon
2 tasses de fromage à la crème
4 tasses de fromage cheddar râpé
1 tasse de crème 10 %
2 c. à thé de sauce Worcestershire
1/4 d'oignon pelé et haché
1/2 c. à thé de moutarde sèche
1/2 c. à thé de sel
Quelques gouttes de sauce piquante

Placer tous les ingrédients sauf le bacon dans la mijoteuse.

Couvrir et laisser mijoter 1 ou 2 heures à basse température en mélangeant de temps à autre.

Pendant ce temps, faire cuire le bacon dans une casserole, puis le couper en petits morceaux. L'ajouter à la trempette et mélanger.

Servir avec des croûtons de pain.

Trempette aux épinards

Ingrédients

1 tasse de fromage à la crème
1/4 de tasse de crème 10%
1 tasse d'épinards congelés, dégelés et égouttés
2 c. à soupe de piments forts hachés
1 c. à thé de sauce Worcestershire
1/2 c. à thé d'ail haché
2 c. à soupe de parmesan haché
1/4 d'oignon haché
1/4 de c. à thé de thym

Mettre le fromage à la crème et la crème dans la mijoteuse.

Couvrir et laisser mijoter à basse température jusqu'à ce que le fromage soit fondu, soit environ 1 heure.

Ajouter le reste des ingrédients.

Couvrir et laisser mijoter 45 minutes à basse température.

Servir avec des crudités et des craquelins.

Trempette aux épinards

Soupe à l'oignon

Boulettes à la bière

Ingrédients

1/2 bouteille de bière blonde
3/4 de tasse de jus de légumes épicé
1 c. à thé de jus de citron
1 c. à thé de sauce piquante
5 ou 6 biscuits soda
1/2 oignon haché
1/2 c. à thé de sel
1/2 c. à thé de poivre
1/4 de tasse de ketchup
1 c. à thé de raifort
1 c. à thé de sauce Worcestershire
3 lb de bœuf haché maigre
2 œufs

Écraser les biscuits soda à l'aide d'un rouleau à pâte.
Dans un bol, mélanger le bœuf haché, les biscuits soda écrasés et les œufs.
Faire des petites boulettes avec le mélange.
Faire revenir les boulettes dans une casserole à feu moyen jusqu'à ce que la viande ait perdu sa couleur rosée.
Retirer les boulettes et les déposer dans la mijoteuse.
Dans la casserole, mettre le restant des ingrédients, et porter à ébullition en brassant de temps à autre.
Ajouter la sauce aux boulettes.
Couvrir et laisser mijoter entre 6 et 8 heures à basse température en brassant de temps à autre.
Servir.

Soupe à l'oignon

Ingrédients

3 gros oignons coupés en tranches
4 tasses de bouillon de bœuf
4 c. à thé de beurre
1 gousse d'ail hachée
1/4 de tasse de parmesan râpé
1 1/2 tasse de gruyère râpé
Croûtons de pain
Sel et poivre au goût

Verser le bouillon de bœuf dans la mijoteuse.
Dans une poêle, faire fondre le beurre et y ajouter les oignons.
Faire revenir l'ail et les oignons jusqu'à ce que les oignons soient légèrement dorés.
Mettre les oignons dans la mijoteuse. Ajouter le sel et le poivre.
Couvrir et laisser mijoter entre 4 et 6 heures à basse température.
Verser la soupe dans des bols allant au four.
Ajouter le fromage et les croûtons de pain. Faire gratiner.
Servir.

Confit de tomates

Ingrédients

500 g (l lb) de tomates italiennes, coupées en deux sur la longueur

6 tiges de thym

1 c. à soupe de gros sel

2 c. à thé de poivre noir du moulin

1 tête d'ail (gousses pelées, dégermées et coupées en deux)

125 ml (1/2 tasse) d'huile d'olive

Préchauffez le four à 275 oF (140 oC).

Parsemez le fond d'une casserole, juste assez grande pour contenir les tomates en une seule couche, se chevauchant, de thym, de sel et de poivre. Disposez les tomates. Insérez l'ail et arrosez d'huile.

Laissez cuire 3 heures, en arrosant toutes les 45 minutes de jus de cuisson.

Servez ce confit de tomates chaud, en guise d'accompagnement d'une viande ou d'un poisson. Ou encore mélangé à des pâtes.

Gratin de pommes de terre aux deux champignons

Ingrédients

1 sachet de champignons porcini, séchés

1,5 kg (3 lb) de pommes de terre

Beurre

Huile d'olive

1 contenant de champignons (blancs ou café), tranchés

2 gousses d'ail, dégermées et écrasées

1 c. à soupe de thym frais, haché

Sel et poivre du moulin

Bouillon de légumes

Préchauffez le four à 375 °F (190 °C).

Faites réhydrater les porcini dans l'eau bouillante, environ 20 minutes.

Pelez les pommes de terre et tranchez-les le plus finement possible (de préférence à l'aide d'une mandoline). Pour ne pas qu'elles brunissent, plongez-les dans un bol d'eau froide.

Dans une grande poêle, mettez une noix de beurre et 1 c. à soupe d'huile. Faites-y revenir les champignons tranchés, l'ail et le thym.

Égouttez les porcini, réservez l'eau de trempage. Hachez-les et ajoutez-les à la préparation précédente. Assaisonnez.

Dans un plat à gratin graissé, étendez une première couche de pommes de terre, puis une couche de champignons et répétez les opérations jusqu'à épuisement des ingrédients. Arrosez de bouillon et d'eau de trempage des porcini. Parsemez de noix de beurre et faites cuire sur la grille du bas du four 2 heures ou jusqu'à ce que les pommes de terre soient tendres et le dessus doré.

Gratin de pommes de terre aux deux champignons

Agneau fondant aux pommes de terre

Haricots blancs aux champignons, à l'italienne

Dans une grande tasse à mesurer en pyrex, mettez le tiers des haricots. Parsemez du tiers de l'oignon, du tiers de l'ail et du tiers des champignons. Salez et poivrez généreusement. Parsemez de thym. Arrosez de 1 c. à thé d'huile. Répétez les opérations jusqu'à épuisement des ingrédients.

Dans le fond d'une casserole pouvant contenir la tasse, déposez une feuille de papier d'aluminium froissée, ce qui empêche la tasse de cogner contre le métal. Déposez-y la tasse.

Dans la casserole, versez de l'eau jusqu'à atteindre la moitié de la tasse. Couvrez. Portez l'eau à ébullition. Baissez le feu et laissez mijoter 2 heures ou jusqu'à ce que les haricots soient cuits. Remuez, vérifiez l'assaisonnement et servez en guise d'accompagnement d'une viande.les gousses d'ail épluchées, mais laissées entières. Couvrez et faites cuire au four à 350 °F (180 °C) pendant 1 heure.

Ingrédients

375 ml (1 1/2 tasse) de haricots blancs, recouverts d'eau froide pendant une nuit et égouttés

1 oignon haché

4 gousses d'ail, dégermées et hachées

1 tasse de champignons tranchés

Sel et poivre noir du moulin

Thym frais haché ou thym séché

4 c. à thé d'huile d'olive

Agneau fondant aux pommes de terre

Dégraissez l'épaule d'agneau. Lavez les pommes de terre. Dans un petit bol, mélangez l'huile d'olive et le safran, que vous aurez dilué dans un peu d'eau chaude. Salez et poivrez. Badigonnez l'épaule avec la moitié de cette sauce et laissez reposer au réfrigérateur environ 3 heures.

Commencez la cuisson à four froid et laissez cuire pendant 2 heures à 300 °F (150 °C).

Pendant ce temps, faites bouillir les pommes de terre jusqu'à ce qu'elles soient al dente (15-20 minutes). Pelez-les, puis badigonnez-les du reste de la sauce au safran. Disposez les pommes de terre autour de l'agneau et parsemez de petits morceaux de beurre. Poursuivez la cuisson encore 30 minutes.a

Ingrédients

1,5 kg (3 lb) d'épaule d'agneau entière, avec les os

1,5 kg (3 lb) de rattes ou de pommes de terre nouvelles

Huile d'olive

Beurre

2 pincées de safran

Sel et poivre

Gigot rôti à la marocaine

Gigot de sept heures aux haricots blancs

La veille, faites tremper les haricots blancs dans de l'eau froide.
Préchauffez le four à 250 °F (120 °C).
Coupez les carottes en tronçons. Émincez les oignons.
Dans une cocotte allant au four, faites dorer le gigot dans l'huile d'olive à feu vif. Ajoutez la feuille de laurier, le thym, la sariette, les oignons, les carottes et l'ail en chemise. Salez et poivrez.
Délayez le concentré de tomates dans 15 cl (2/3 tasse) d'eau chaude, puis versez dans la cocotte. Ajoutez le vin rouge et le bouillon de boeuf.
Couvrez et enfournez. Laissez cuire 7 heures.
Rincez les haricots et faites-les bouillir dans de l'eau salée pendant 45 minutes. Égouttez-les et ajoutez-les au gigot lorsque celui-ci cuit depuis déjà 6 heures.
Dressez le gigot dans un grand plat sur son lit de haricots blancs.

Ingrédients

- 1 tasse de haricots blancs secs
- 1 gigot d'agneau de 2 kg (4 lb)
- 2 carottes
- 2 oignons
- 1 feuille de laurier
- 10 ml (2 c. à café) de thym frais
- 10 ml (2 c. à café) de sariette séchée
- 6 gousses d'ail
- 1 c. à soupe de concentré de tomates
- 250 ml (1 tasse) de vin rouge
- 2 tasses de bouillon de boeuf
- Huile d'olive
- Sel et poivre

Gigot rôti à la marocaine

Hachez finement l'oignon et l'ail. Dans un bol, mélangez l'huile d'olive, le cumin, la cannelle, le gingembre, le poivre de cayenne et le safran.
Ajoutez l'eau et battez à l'aide d'un fouet.
Ajoutez l'oignon et l'ail et remuez bien.
Déposez le gigot dans un grand plat allant au four. Badigeonnez-le généreusement de beurre, salez et poivrez.
Puis enrobez-le du mélange d'oignon et d'épices.
Laissez reposer la viande à température ambiante pendant 1 heure. Préchauffez le four à 350 °F (180 °C).
Enfournez et laissez cuire 2 heures en arrosant souvent du jus de cuisson.

Ingrédients

- 1 gigot d'agneau de 2 kg (4 lb)
- 1 oignon rouge
- 3 gousses d'ail
- 5 ml (1 c. à café) de cumin
- 1 pincée de cannelle
- 1 c. à café de gingembre moulu
- 1 pincée de poivre de cayenne
- 1 pincée de safran
- 1/2 tasse d'eau
- 30 ml (2 c. à soupe) d'huile d'olive
- Beurre
- Sel et poivre

Méchoui

Ingrédients

- 1,5 kg (3 lb) d'épaule d'agneau entière
- 45 ml (3 c. à soupe) d'huile de canola
- 15 ml (1 c. à soupe) de paprika
- 5 ml (1 c. à café) de cumin moulu
- 15 ml (1 c. à soupe) de sel
- 5 ml (1 c. à café) de poivre du moulin

Dans un bol, mélangez l'huile, le paprika, le cumin, le sel et le poivre.
Déposez l'épaule d'agneau, laissée entière, dans un grand plat à rôtir.
Badigeonnez la viande du mélange et réfrigérez pendant 3 heures.
Sortez la viande du réfrigérateur environ 30 minutes avant de la mettre au four.
Versez un verre d'eau dans le fond du plat et enfournez à four froid.
Laissez cuire 2 heures, à 300 °F (150 °C).

Épaule d'agneau Daniela

Ingrédients

- 5 lb d'épaule d'agneau désossée
- 250 g (1/2 lb) de pancetta
- Huile d'olive ou de canola
- 1 gros oignon
- 3 branches de céleri
- 3 carottes
- 6 gousses d'ail
- 500 ml (2 tasses) de fond d'agneau
- 2 branches de thym frais
- 2 branches de romarin frais
- Le zeste de 1 citron bio
- 1/2 bouteille de vin blanc sec
- 20 pommes de terre nouvelles
- Sel et poivre

Coupez la pancetta en petits cubes.
Épluchez l'oignon, pelez les carottes, effilez le céleri.
Hachez le tout en trèspetits dés. Versez de l'huile dans une cocotte de fonte émaillée et faites-y revenir la pancetta.
Faites dorer les morceaux d'agneau. Retirez l'agneau et la pancetta de la cocotte.
Faites revenir les légumes dans le gras de cuisson.
Remettez l'agneau et la pancetta dans la cocotte.
Versez le fond d'agneau et la demi-bouteille de vin blanc.
Ajoutez les gousses d'ail pelées mais entières, le zeste du citron et les branches de thym et de romarin.
Laissez mijoter à feu moyen environ 3 heures.
Une heure avant la fin de la cuisson, ajoutez les pommes de terre.
Avant de servir, rectifiez l'assaisonnement. Servez la sauce à part.

Épaule d'agneau Daniela

Bœuf braisé au vin rouge et aux légumes

Bœuf garni de haricots verts

Coupez le rôti en cubes d'environ 1 po (3 cm) ou faites-le faire par votre boucher. Salez et poivrez. Dans une poêle, faites dorer la viande dans l'huile. Déposez dans la mijoteuse.

Dans la même poêle, faites revenir l'oignon et l'ail. Incorporez le piment de la Jamaïque et laissez cuire, en remuant, 1 minute. Incorporez le bouillon et le concentré de tomates. Portez à ébullition.

Mettre dans la mijoteuse.

Couvrez et laissez mijoter entre 4 et 6 heures à basse intensité ou jusqu'à ce que la viande soit à votre goût.

Faites cuire les haricots verts 5 minutes. Égouttez et laissez refroidir.

Coupez en diagonale et mettez dans la mijoteuse.

Couvrez et laissez cuire 15 minutes.

Ingrédients

2 1/2 lb de bœuf d'extérieur de ronde ou de cubes de bœuf à braiser

Sel et poivre du moulin

65 ml (1/4 tasse) d'huile d'olive

1 oignon espagnol, haché

3 gousses d'ail, dégermées et hachées

2 c. à thé de piment de la Jamaïque

2 tasses de bouillon de boeuf

125 ml (1/2 tasse) de pâte de tomate

500 g (1 lb) de haricots verts, parés

Bœuf braisé au vin rouge et aux légumes

Dans un grand bol en verre, déposez la viande. Ajoutez les légumes, les feuilles de laurier, l'ail, les herbes, les grains de poivre et les graines de fenouil. Y verser le vin rouge et laissez mariner une nuit.

Préchauffez le four à 425 °F (220 °C).

Retirez la viande et les légumes de la marinade. Déposez dans une casserole et salez. Ajoutez suffisamment de marinade pour recouvrir la viande. Retirez les graines de fenouil, l'ail et les herbes du reste de la marinade. Ajoutez-les à la viande et aux légumes et laissez cuire au four 15 minutes.

Baissez le four à 300 °F (150 °C). Couvrez et laissez cuire au four 4 heures ou jusqu'à ce que la viande soit très tendre, retournez la viande une fois en cours de cuisson. Gardez la viande et les légumes au chaud.

Dans une autre casserole, tamisez le jus de cuisson. Portez à ébullition, baissez le feu et laissez mijoter jusqu'à consistance de sauce.

Tranchez la viande et nappez de sauce.

Ingrédients

1 rôti d'épaule de bœuf, désossé, de 1,5 kg (3 lb)

2 carottes coupées en grosses tranches

2 tiges de céleri, coupées en grosses tranches

2 poireaux, coupés en gros morceaux

3 feuilles de laurier

Gousses de 1 tête d'ail, coupées en deux et dégermées

8 tiges de thym

4 tiges de romarin

1 c. à thé de grains de poivre noir

1 c. à thé de graines de fenouil

1 bouteille de vin rouge

Boeuf au chou

Ingrédients

2 kg (4 lb) de palette coupée en cubes
1 chou
1 oignon
5 ml (1 c. à café) de paprika
30 ml (2 c. à soupe) de crème à cuisson 35 %
4 pommes de terre
Huile d'olive
Sel et poivre

Lavez le chou, coupez le en 8 quartiers.
Épluchez l'oignon et hachez-le finement.
Dans une grande cocotte à fond épais, faites revenir les cubes de viande dans l'huile d'olive. Assaisonnez du paprika.
Ajoutez l'oignon et faites suer.
Ajoutez le chou et mélangez bien.
Mouillez d'eau jusqu'à mi-hauteur. Salez et poivrez. Amenez à ébullition.
Baissez à feu doux et laissez mijoter 2 heures.
Lavez et épluchez les pommes de terre. Faites-les cuire à la vapeur pendant 30 minutes. Réservez.
Ajoutez la crème, rectifiez l'assaisonnement. Laissez réchauffer 5 minutes sans laisser bouillir.
Servez avec les pommes de terre vapeur.

Boeuf à la mode

Ingrédients

5 lb d'épaule d'agneau désossée
250 g (1/2 lb) de pancetta
Huile d'olive ou de canola
1 gros oignon
3 branches de céleri
3 carottes
6 gousses d'ail
500 ml (2 tasses) de fond d'agneau
2 branches de thym frais
2 branches de romarin frais
Le zeste de 1 citron bio
1/2 bouteille de vin blanc sec
20 pommes de terre nouvelles
Sel et poivre

Pelez les carottes et coupez-les en rondelles. Épluchez l'oignon et émincez-le. Épluchez l'ail.
Dans un grand saladier, versez le vin et l'huile d'olive, puis ajoutez les carottes, les oignons, l'ail, le bouquet garni et quelques grains de poivre.
Ajoutez la viande. Couvrez d'une pellicule plastique et laissez mariner au réfrigérateur pendant 12 heures.
Préchauffez le four à 350 °F (180 °C).
Retirez la viande de la marinade et épongez-la soigneusement.
Filtrez la marinade et réservez d'un côté les légumes égouttés et de l'autre, le liquide.
Dans une grande cocotte allant au four, faites chauffer de l'huile d'olive. Lorsqu'elle est chaude, faites revenir le boeuf. Retirez la viande de la cocotte. Jetez le gras de cuisson.
Disposez les tranches de lard au fond de la cocotte. Puis, mettez par-dessus le boeuf et les légumes égouttés de la marinade. Mouillez du liquide de la marinade. Salez et poivrez. Couvrez et amenez à ébullition.
Enfournez et laissez cuire 3 heures.

Bœuf à la mode

Bœuf braisé aux aromates

Boeuf bouilli

Ingrédients

2 kg (4 lb) de macreuse
6 carottes
4 navets
4 poireaux (blancs seulement)
2 branches de céleri
1 bouquet garni
2 oignons
2 clous de girofle
2 gousses d'ail
Sel et poivre

Lavez et épluchez les carottes et les navets.
Coupez les carottes en tronçons et les navets en quartiers.
Épluchez les oignons et l'ail. Piquez l'un des oignons des clous de girofle.
Coupez les blancs de poireaux en deux dans le sens de la longueur puis en deux dans le sens de la largeur. Lavez-les soigneusement.
Lavez et effilez le céleri. Coupez-le en tronçons.
Remplissez d'eau une grande cocotte. Plongez-y les carottes, les navets, les poireaux, le céleri, le bouquet garni, les oignons, et les gousses d'ail entières. Salez et poivrez. Amenez à ébullition.
Déposez le boeuf dans la cocotte.
Baissez à feu doux et laissez mijoter pendant 3 heures.

Boeuf braisé aux aromates

Ingrédients

1,5 kg (3 lb) de boeuf à braiser, coupé en gros cubes
2 oignons
6 gousses d'ail
1 feuille de laurier
1 c. à soupe de basilic frais
1 c. à soupe de romarin frais
c. à soupe de sarriette fraîche
1 c. à soupe de thym frais
200ml vin blanc
200ml bouillon de volaille

Épluchez et émincez les oignons. Épluchez et hachez l'ail.
Hachez finement les herbes fraîches.
Dans une grande cocotte, faites revenir les cubes de boeuf dans l'huile d'olive.
Ajoutez les oignons et l'ail et faites suer.
Ajoutez les herbes, le vin blanc et le bouillon.
Amenez à ébullition, puis baissez à feu doux.
Laissez mijoter à couvert pendant 2 h 30.

Boeuf bourguignon

Ingrédients

Pour la marinade :

1 gros oignon

3 échalotes françaises

1 bouquet garni

3 cuillerées à soupe d'huile d'olive

1 bouteille de bon vin de Bourgogne

2 kg (4 lb) de boeuf à braiser coupé en moyens cubes

30 ml (2 c. à soupe) d'huile d'olive

15 ml (1 c. à soupe) de concentré de tomates

2 gousses d'ail

20 oignons grelots

5 ml (1 c. à café) de sucre

15 ml (1 c. à soupe) de beurre

250 g (1/2 lb) de lardons

20 champignons de Paris

Sel et poivre

Épluchez et émincez l'oignon et les échalotes. Déposez-les dans un grand saladier, avec le bouquet garni, l'huile et le vin. Ajoutez les cubes de boeuf et enrobez-les bien de la marinade. Recouvrez le bol d'une pellicule plastique et laissez mariner au réfrigérateur pendant 12 heures.

Sortez les morceaux de boeuf de la marinade et épongez-les soigneusement.

Dans une poêle, à feu vif, faites revenir les cubes de viande dans l'huile de tous les côtés. Réservez.

Filtrez la marinade. Réservez le jus.

Dans une grande cocotte, faites suer dans l'huile l'oignon et les échalotes de la marinade.

Ajoutez les cubes de boeuf, le jus de la marinade, le concentré de tomates et l'ail écrasé. Amenez à ébullition, puis baissez à feu doux. Laissez mijoter doucement à couvert pendant 2 h 30. Pendant la cuisson, prenez soin d'écumer et de dégraisser de temps en temps.

Glacez les oignons grelots : épluchez-les puis mettez-les dans une poêle assez grande pour qu'ils ne forment qu'une couche. Déposez-y le beurre, le sucre et de l'eau jusqu'à mi-hauteur. Faites cuire à feu moyen jusqu'à ce que l'eau soit totalement évaporée et que les oignons aient bruni. Versez-les alors dans la cocotte.

Faites revenir les lardons dans l'huile pendant 5 minutes, puis ajoutez les champignons. Lorsque ceux-ci sont dorés, ajoutez-les à la cocotte.

Laissez cuire le tout à découvert encore une vingtaine de minutes. Rectifiez l'assaisonnement.

Trucs :

Il est important de bien faire dorer les cubes de boeuf avant la longue cuisson afin qu'il ne se défassent pas. Pour ce faire, vous pouvez partager la viande en deux. Faites d'abord revenir une moitié, réservez, puis faites revenir le reste, pour que tous les morceaux soient en contact avec le fond de la poêle.

Choisissez un bon bourgogne, puisque c'est le vin qui donne son goût au plat. Meilleur sera le vin, meilleur sera le plat !

Bœuf bourguignon

Daube de bœuf aux carottes

Ingrédients

1,5 k (3 lb) d'épaule de boeuf en cubes de grosseur moyenne
3 tranches de lard salé
1,5 kg (3 lb) de carottes
2 oignons
2 feuilles de laurier
250 ml (1 tasse) de vin blanc sec
250 ml (1 tasse) de bouillon de boeuf
30 ml (2 c. à soupe) de persil haché
Huile d'olive
Sel et poivre

Coupez les carottes en rondelles, hachez les oignons et le persil.
Dans une grande cocotte, faites revenir le boeuf dans l'huile d'olive. Une fois que la viande est bien dorée de tous les côtés, sortez les morceaux et réservez. Jetez le gras de cuisson.
Disposez les tranches de lard au fond de la cocotte. Placez la viande par-dessus. Arrosez du vin blanc et du bouillon. Ajoutez le laurier et laissez mijoter à feu doux, à couvert, pendant 1 heure.
Ajoutez les carottes et les oignons finement hachés. Salez et poivrez.
Laissez mijoter de nouveau 1 heure.
Au moment de servir, parsemez de persil.

Jarret de bœuf à la tomate

Ingrédients

1,5 kg (3 lb) de jarret de boeuf, désossé et coupé en petits cubes
12 tomates
4 oignons
1 c. à soupe de persil ciselé
1 c. à soupe de coriandre ciselée
1 c. à café de curcuma
1 c. à café de gingembre en poudre
Huile d'olive
Sel et poivre

Faites blanchir les tomates afin de les peler plus facilement.
Épépinez-les et coupez-les en dés.
Épluchez les oignons et coupez-les en dés.
Lavez et ciselez le persil et la coriandre.
Dans une grande cocotte à fond épais, déposer les cubes de boeuf, les tomates, les oignons, le persil, la coriandre, le curcuma et le gingembre.
Recouvrez d'eau froide. Salez et poivrez.
Portez à ébullition puis baissez à feu doux et laissez mijoter doucement pendant 4 heures.

Jarret de bœuf à la tomate

Pot-au-feu

Pot-au-feu

Pelez les oignons, coupez-en deux en quartiers, piquez l'autre des clous de girofle. Épluchez les gousses d'ail, que vous laisserez entières. Coupez les poireaux en deux dans le sens de la longueur et nettoyez-les soigneusement.

Remplissez d'eau froide une très grosse casserole. Ajoutez les oignons, l'ail, les poireaux, le sel, les grains de poivre et les feuilles de laurier. Plongez-y le morceau de palette et le lard salé.

Mettez sur le feu et portez à ébullition. Lorsque l'eau bout, baissez à feu moyen et laissez mijoter ainsi pendant 2 heures.

Pendant ce temps, préparez vos légumes. Coupez la courge poivrée en quatre et évidez-la sans la peler. Coupez les épis de maïs en deux. Pelez et coupez les autres légumes en gros morceaux. Attachez les haricots verts en petits paquets avec de la ficelle de cuisine ou du fil blanc. Lorsque la viande a cuit 2 heures, ajoutez les légumes et portez de nouveau à ébullition. Laissez bouillir encore 1 heure.

Trente minutes avant la fin de la cuisson, ajoutez les os à moelle.

Dressez dans un grand plat de service, la viande au milieu, les légumes autour et le bouillon à part.

Ingrédients

2 kg (4 lb) de palette
4 à 6 os à moelle
250 g (1/2 lb) de lard salé
3 oignons
2 clous de girofle
2 gousses d'ail
2 poireaux
3 feuilles de laurier
1 chou moyen
6 grosses carottes
1 kg (2 lb) de haricots verts
2 navets moyens
3 panais
1 courge poivrée
3 épis de maïs
6 pommes de terre
Gros sel de mer
Quelques grains de poivre noir

Veau braisé au citron et aux pignons, sauce au vin blanc

Ingrédients

- 1 rôti de veau de 1,25 kg (2 1/2 lb), coupé en tranches de 2 cm (1 po) d'épaisseur
- 4 c. à soupe de farine tout usage
- 2 c. à soupe de beurre
- 2 c. à soupe d'huile d'olive
- 1 tige de thym frais, haché ou 1 pincée de thym séché
- 125 ml (1/2 tasse) de vin blanc
- 2 tasses de bouillon de poulet
- 2 zestes de citron de 5 cm (2 po) de longueur, prélevés à l'économe
- 1 c. à soupe de noix de pignons, grossièrement hachés
- Sel et poivre noir du moulin

Coupez chaque tranche de veau en deux. Enfarinez-les.
Dans une cocotte, faites dorer les morceaux de veau dans le beurre et l'huile.
Ajoutez le thym et le vin. Portez à ébullition, à découvert, et laissez bouillir 3 minutes. Versez le bouillon. Réduisez le feu, couvrez et laissez mijoter environ 1 h 30 ou jusqu'à tendreté de la viande, en remuant de temps à autre.
À mi-cuisson, ajoutez les zestes de citron ; 10 minutes avant la fin, ajoutez les pignons.
Au moment de servir, remuez, salez et poivrez.
Accompagnez de pâtes.

Veau aux légumes

Ingrédients

- 2 lb de cubes de veau, à braiser
- Farine tout usage
- 1 c. à soupe d'huile d'olive
- 1 c. à soupe de beurre
- 5 gros oignons, hachés
- 2 gousses d'ail, dégermées et coupées en deux
- 5 carottes, tranchées
- 5 tiges de céleri, tranchées
- 5 pommes de terre, tranchées
- 1 boîte de 796 ml (28 oz) de tomates
- Bouillon de légumes ou de poulet
- Sel et poivre noir du moulin

Préchauffez le four à 350 °F (180 °C)
Enrobez les cubes de veau de farine. Dans une cocotte, faites-les revenir dans l'huile et le beurre. Retirez la viande de la casserole et réservez-la.
Dans la même cocotte, faites revenir les oignons avec l'ail, puis les carottes, le céleri et les pommes de terre. Ajoutez de l'huile, si nécessaire. Incorporez les tomates et versez suffisamment de bouillon pour recouvrir le tout. Vérifiez l'assaisonnement.
Remettez le veau dans la casserole et remuez. Couvrez et faites cuire au four 2 heures ou jusqu'à ce que la viande soit à point.

Veau aux légumes

Roulé de veau aux pistaches

Roulé de veau aux pistaches

Préchauffez le four à 350 °F (180 °C).

Farce :

Faites tremper la mie de pain dans le lait. Mélangez les viandes, le parmesan, les pistaches, le persil et l'œuf. Salez et poivrez. Incorporez le pain.

À l'aide d'un maillet, aplatissez le veau jusqu'à ce qu'il soit d'égale épaisseur et étalez-y la farce. Enroulez-le et ficelez-le avec de la ficelle de cuisine. Dans une cocotte, mettez un filet d'huile et faites rissoler l'oignon, le bacon et le veau. Versez le vin blanc et faites réduire de moitié. Versez le bouillon. Couvrez et faites cuire au four 2 heures ou jusqu'à ce que la viande soit à point, surveillez la cuisson et arrosez de jus de cuisson de temps à autre. Découpez en fines tranches et nappez de sauce.

Ingrédients

1 tranche de 1,5 kg (3 lb) de filet de veau

Huile d'olive

1 oignon haché finement

2 tranches de bacon, hachées finement

250 ml (1 tasse) de vin blanc

125 ml (1/2 tasse) de bouillon

Farce :

2 tranches de pain rassis, écroûté

125 ml (1/2 tasse) de lait

225 g (1/2 lb) de bœuf haché, mi-maigre

150 g (1/3 lb) de chair à saucisse

2 c. à soupe de parmesan râpé

1 poignée de pistaches

1 bouquet de persil, haché

1 œuf battu

Sel et poivre du moulin

Jarrets de veau aux tomates en cocotte, garniture de gremolata

Veau à l'italienne

Ingrédients

1 c. à soupe d'huile d'olive

90 g (3 oz) de pancetta, coupée en petits morceaux

2 lb de cubes de veau, à braiser

2 c. à soupe de farine

4 blancs de poireau, hachés

4 carottes, coupées en cubes

3 tiges de céleri, coupées en cubes

3 gousses d'ail, dégermées et émincées

1 c. à soupe de feuilles de romarin, hachées

1 c. à thé de sel

Poivre noir du moulin

1/2 tasse de vin rouge

1/2 tasse de bouillon de poulet

Dans une poêle, faites chauffer l'huile sur feu moyen et faites-y dorer la pancetta. À l'aide d'une écumoire, retirez-la de la poêle et déposez-la dans la mijoteuse. Enrobez les cubes de veau de farine et faites-les dorer dans la poêle. À l'aide d'une écumoire, déposez-les dans la mijoteuse. Dans la poêle, faites revenir les poireaux, les carottes et le céleri. Incorporez l'ail, le romarin, le sel et le poivre et laissez cuire 1 minute. Versez le vin et le bouillon. Laissez cuire, en remuant, jusqu'à épaississement. Déposez la préparation dans la mijoteuse et remuez. Couvrez la mijoteuse et laissez mijoter entre 2 et 4 heures à haute intensité.

Jarrets de veau aux tomates en cocotte, garniture de gremolata

Ingrédients

2 c. à soupe d'huile d'olive

2 jarrets de veau, coupés en morceaux

Sel et poivre noir du moulin

1 tige de céleri, finement hachée

2 oignons, finement hachés

1 c. à thé de thym, haché

1 /2 bouteille de vin blanc

1 boîte de 796 ml de tomates italiennes

1 tasse de bouillon de poulet

Gremolata

Dans une grande casserole épaisse, faites chauffer l'huile. Faites-y dorer les jarrets. Assaisonnez-les, retirez-les de la casserole et réservez-les. Dans la même casserole, faites revenir le céleri et les oignons. Ajoutez le thym et faites revenir 5 minutes. Montez le feu. Versez le vin, les tomates et le bouillon. Portez le tout à ébullition et baissez le feu. Remettez les jarrets dans la casserole, couvrez-la et laissez mijoter 2 heures, 10 minutes avant la fin de la cuisson, incorporez les carottes.
Répartissez les morceaux de jarrets dans les assiettes de service.

Gremolata :
Mélangez 2 zestes râpés de citron, 1 gousse d'ail, hachée et 4 c. à soupe de persil italien, haché. Parsemez de la gremolata sur chaque portion.

Ragoût de veau, à l'italienne

Ingrédients

- 2 c. à soupe de beurre
- 1 oignon rouge moyen, coupé en cubes
- 1 tige de céleri, coupée en cubes
- 1 tige de romarin
- 2 lb d'épaule de veau, coupée en cubes
- Farine tout usage
- 1 gousse d'ail, émincée
- Sel et poivre noir du moulin
- 500 ml (2 tasses) de chianti ou autre vin rouge italien
- 250 ml (1 tasse) de bouillon de bœuf
- 1/4 tasse de concentré de tomates
- 1 carotte, coupée en cubes
- 2 pommes de terre, coupées en cubes

Dans une cocotte, faites fondre le beurre, sur feu moyen. Faites-y revenir l'oignon, le céleri et le romarin, gardez-en pour la ganiture, jusqu'à ce que l'oignon soit transparent. Retirez le romarin.

Enrobez les cubes de veau de farine et ajoutez-les aux oignons. Incorporez l'ail, le sel et le poivre. Faites dorer le veau, en remuant. Baissez le feu. Versez le vin et le bouillon.

Laissez mijoter de 1 h 30 à 2 heures ou jusqu'à tendreté de la viande et consistance de sauce.

Incorporez le concentré de tomates, la carotte et les pommes de terre. Laissez cuire 15 minutes ou jusqu'à ce que les légumes soient tendres. Parsemez de feuilles de romarin et servez.

Porc 24 heures

Ingrédients

- 1 épaule de porc de 3 kg (6 lb), désossée et roulée
- 3 gousses d'ail, dégermées et tranchées
- Minces lanières du zeste de 1 citron
- 1 tige de romarin (feuilles)
- 2 piments rouges, parés et tranchés finement
- 2 c. à soupe d'huile d'olive
- Sel et poivre du moulin

La veille du repas, préchauffez le four à 425 °F (220 °C).

Dans la partie la plus maigre de la viande, percez des fentes et insérez-y de l'ail, des zestes de citron, des feuilles de romarin et des tranches de piment.

Épongez la viande avec des essuie-tout et badigeonnez-la d'huile d'olive. Salez et poivrez. Faites-la rôtir au four, gras au fond, 30 minutes.

Baissez le four à 225 °F (110 °C) et laissez cuire pendant 23 h 30, en arrosant copieusement toutes les heures, pas la nuit, mais avant d'aller au lit et au lever.

Au moment du repas, retirez la plupart du jus de cuisson, dégraissez-le et réservez-le. Laissez reposer le porc au four, porte entrouverte, une vingtaine de minutes. Transférez le rôti dans un plat et servez, en arrosant chaque portion de jus de cuisson.

Porc 24 heures

Blanquette de veau

Blanquette de veau

Détaillez la viande en gros cubes. Lavez et coupez en tronçons les carottes, le blanc de poireau et le céleri effilé. Épluchez l'oignon, et piquez-le des clous de girofle.

Dans une grande cocotte, saisissez la viande dans le beurre. Avant qu'elle ne blondisse, saupoudrez de farine et remuez bien. Ajoutez l'oignon, le poireau, les carottes et le céleri. Salez et poivrez.

Recouvrez de bouillon de volaille et laissez mijoter à feu doux pendant 2 heures.

Retirez la viande et faites réduire le bouillon à feu vif, pendant une vingtaine de minutes.

Coupez les champignons en lamelles et, dans une petite poêle, faites-les dorer dans le beurre.

Dans un bol, délayez la crème avec les jaunes d'oeufs. Puis, hors du feu, versez dans le bouillon.

Pressez un demi-citron pour aciduler un peu la sauce.

Dans un grand plat, dressez la viande et les champignons nappés de la sauce. Parsemez de persil ciselé.

Servez avec du riz blanc

Note :

On peut remplacer le veau par de la volaille, du lapin, de l'agneau ou encore par un poisson blanc.

Ingrédients

- 3 lb de tendron ou d'épaule de veau
- 2 carottes
- 1 branche de céleri
- 1 blanc de poireau
- 1 oignon
- 2 clous de girofle
- 30 ml (2 c. à soupe) de farine
- 1 L (4 tasses) de bouillon de volaille
- 20 champignons de Paris
- 2 jaunes d'œufs
- 250 ml (1 tasse) de crème 35 %
- 1/2 citron
- 4 branches de persil plat
- Beurre
- Sel et poivre

Osso bucco d'Elena

Ingrédients

1,5 kg (3 lb) de jarret de veau

15 ml (1 c. à soupe) de farine non blanchie

1 oignon

4 carottes

2 branches de céleri

2 gousses d'ail

125 ml (1/2 tasse) de vin blanc sec

125 ml (1/2 tasse) de bouillon de poulet

500 ml (2 tasses) de tomates en conserve

Huile d'olive

Sel et poivre

Pour la gremolata :

Le zeste de 1 citron bio

Le zeste de 1 orange bio

4 gousses d'ail

30 ml (2 c. à soupe) de persil ciselé

125 ml (1/2 tasse) de chapelure

Préchauffez le four à 350 °F (180 °C).

Pelez les carottes, effilez le persil, épluchez les oignons.

Coupez-les en brunoise.

Épluchez l'ail et hachez-le finement.

Versez la farine dans un sac de plastique. Salez et poivrez.

Enfarinez les morceaux de viande. Secouez l'excédent.

Dans une cocotte allant au four, faites brunir le veau dans l'huile d'olive.

Retirez-le et réservez.

Dans le gras de cuisson, faites revenir les légumes.

Remettez la viande et mouillez avec le vin blanc, le bouillon et les tomates (sans leur jus). Rectifiez l'assaisonnement.

Couvrez et enfournez. Laissez cuire 2 h 30.

Pendant ce temps, faites la gremolata. Hachez très finement les zestes de citron et d'orange, l'ail et le persil. Mélangez à la chapelure.

Une quinzaine de minutes avant la fin de la cuisson, saupoudrez la gremolata sur la viande. Terminez la cuisson.

Osso bucco d'Elena

Ragoût de porc au céleri-rave et à l'orange

Ingrédients

3 blancs de poireaux

2 carottes pelées

2 c. à soupe d'huile d'olive

2 lb de cubes d'épaule de porc

2 petits (ou un gros) céleris-raves, pelés et coupés en cubes

2 gousses d'ail, dégermées et hachées

1 tasse de vermouth blanc

1 tasse de bouillon de poulet

Jus et zeste de 1 orange

2 c. à soupe de sauce soya

Tiges de romarin (feuilles seulement)

Sel et poivre du moulin

Pain croûté

Préchauffer le four à 275 °F (140 °C).

Coupez chaque poireau en 5 morceaux et les carottes en morceaux d'environ la même taille que les poireaux.

Dans un faitout, faites chauffer 1 c. à soupe d'huile d'olive. Faites-y brunir les cubes de porc, puis déposez-les dans une assiette, à l'aide d'une écumoire.

Dans la même casserole, ajoutez 1 c. à soupe d'huile d'olive, les poireaux, les carottes et les céleris-raves. Faites dorer le tout quelques minutes. Ajoutez l'ail et faites-le dorer 1 minute. Ajoutez le porc, le vermouth, le bouillon, le jus et le zeste d'orange, la sauce soya, le romarin, le sel et le poivre.

Remuez et portez à ébullition.

Couvrez et faites cuire au four 2 heures ou jusqu'à ce que le porc soit très tendre et que les poireaux se défassent, remuer à mi-cuisson.

Laissez reposer 10 minutes avant de répartir dans des bols. Accompagnez de pain croûté pour tremper dans la sauce.

Fèves au bacon et au sirop d'érable

Ingrédients

500 g (1 lb) de haricots blancs

1 oignon, coupé en quartiers

250 g (1/2 lb) de grosses tranches de bacon, coupées en larges lanières

1 feuille de laurier et 3 tiges de thym, attachées avec une ficelle de cuisine

125 ml (1/2 tasse) de sirop d'érable

2 c. à soupe de moutarde de Dijon

1 tasse de concentré de tomates

2 c. à thé de sel

Poivre du moulin

La veille du repas, recouvrez les haricots d'eau froide et laissez-les tremper toute la nuit. Égouttez.

Le jour du repas, préchauffez le four à 300 °F (150 °C).

Mettez les haricots dans un faitout. Recouvrez d'eau, portez à ébullition et laissez-les cuire 10 minutes. Baissez le feu et laissez mijoter 20 minutes ou jusqu'à ce que les haricots soient à moitié cuits. Égouttez.

Incorporez le bacon. Écartez le centre de la préparation pour y déposer le bouquet d'herbes. Ramenez les haricots par-dessus. Réservez.

Fouettez le sirop d'érable, la moutarde de Dijon, le concentré de tomates, le sel et le poivre. En napper les haricots. Versez suffisamment d'eau pour les recouvrir. Couvrez et laissez cuire environ 5 heures, vérifiez la cuisson de temps en temps et ajoutez une petite quantité d'eau si les haricots ont tendance à sécher.

Au moment de servir, retirez le bouquet d'herbes et vérifiez l'assaisonnement.

Fèves au bacon et au sirop d'érable

Choucroute à l'alsacienne

Porc en sauce aux pommes, au fenouil et au vin blanc

Ingrédients

1 c. à soupe de graines de coriandre
1 c. à soupe de graines de fenouil
1 c. à thé de gros sel
1 c. à soupe de grains de poivre noir
6 gousses d'ail, hachées
3 c. à soupe d'huile d'olive
1 épaule de porc de 3 kg (6 lb), désossée et roulée
1 bouteille de vin blanc sec
3 pommes pelées et hachées
500 ml (2 tasses) de fenouil, haché
1 gros oignon, haché

Préchauffez le four à 350 °F (180 °C).
Réduisez la coriandre, le fenouil, le sel et le poivre au robot. Ajoutez l'ail et actionnez jusqu'à formation d'une pâte. Mettez dans un bol et incorporez graduellement l'huile d'olive, en fouettant jusqu'à émulsion.
Enrobez le porc de cette préparation.
Dans une casserole épaisse couverte, portez le vin à ébullition.
Dans une cocotte, déposez les pommes, le fenouil et l'oignon, en une couche. Arrosez de vin et déposez-y le porc. Couvrez et laissez cuire 3 heures ou jusqu'à tendreté de la viande.
Déposez le rôti dans une assiette, recouvrez d'une tente de papier d'aluminium et gardez au chaud. Dans une grande poêle, tamiser le liquide de cuisson. Retirez le gras de la surface, portez à ébullition et laissez réduire jusqu'à 750 ml (3 tasses), environ 20 minutes.
Tranchez le porc et présentez la sauce en saucière.
Tranchez-le et nappez-le de sauce.

Choucroute à l'alsacienne

Ingrédients

1,2 kg (2 1/2 lb) de choucroute en conserve
250 g (1/2 lb) de tranches de bacon
1 kg (2 lb) de carré de porc, fumé
1 kg (2 lb) de poulet
2 oignons, piqués de 2 clous de girofle chacun
gousses d'ail, dégermées et écrasées
Herbes séchées au goût
3carottes
20 grains de poivre
10 baies de genièvre
500 ml (2 tasses) de vin d'Alsace
100 g (1/4 lb) de graisse d'oie
6 petites saucisses de Francfort

Préchauffez le four à 250 °F (120 °C).
Lavez la choucroute à grande eau et égouttez-la.
Garnissez le fond et les parois d'une grande casserole épaisse de tranches de bacon. Étendez-y la moitié de la choucroute, puis le reste du bacon, le carré de porc et le poulet. Ajoutez les oignons, l'ail, les herbes, les carottes, le poivre et les baies de genièvre. Recouvrez avec le reste de la choucroute. Versez le vin blanc. Ajoutez la graisse d'oie.
Couvrez et faites cuire au four 3 heures. Retirez les oignons et les carottes.
Présentez la choucroute dans un plat de service. Garnissez avec les viandes, coupées en morceaux. Faites cuire les saucisses de Francfort et ajoutez-les aux viandes.
Accompagnez de pommes de terre bouillies et de moutarde de Dijon.

Daube de porc

Beakehoff

La veille du repas : détaillez la viande en morceaux égaux. Mettez-la dans un saladier avec un peu de vin, 2 oignons coupés grossièrement, l'ail, le bouquet garni et du poivre. Couvrez hermétiquement et faites mariner le tout pendant 24 heures au réfrigérateur. **Le jour du repas** : préchauffez le four à 350 °F (180 °C). Épluchez les pommes de terre et coupez-les en tranches minces à l'aide d'une mandoline. Émincez les 2 ou 3 oignons qui restent. Retirez la viande de la marinade. Dans une cocotte de fonte émaillée, disposez une couche de pommes de terre sur laquelle vous verserez toute la viande, que vous recouvrirez d'une couche d'oignons. Ajoutez le reste des pommes de terre, puis le reste d'oignons. Mouillez avec le vin blanc et un peu d'eau si besoin. Mettez son couvercle à la cocotte et enfournez pour 2 h 30 à 350 °F (180 °C).

Ingrédients

500 g d'épaule de porc
500 g d'épaule d'agneau
00 g de palette de bœuf
1 kg de pommes de terre
4 ou 5 oignons
2 gousses d'ail
50 cl de vin blanc sec
bouquet garni
Sel et poivre

Daube de porc

La veille du repas : mélangez les ingrédients de la marinade. Dans une grande poêle épaisse, faites chauffer 1 c. à soupe d'huile d'olive et faites-y brunir le porc. Laissez-le tiédir et ajoutez-le à la marinade. Réfrigérez 24 heures.

Le jour du repas : préchauffez le four à 350 °F (180 °C). Retirez le porc de la marinade et réservez-le. Dans une cocotte, portez la marinade à ébullition 15 minutes, retirer l'écume qui pourrait se former à la surface. Versez le bouillon et portez à ébullition. Ajoutez la viande. Couvrez et faites cuire au four 3 heures, en retournant la viande à mi-cuisson. Retirez le porc de la cocotte et gardez-le au chaud, sous une tente de papier d'aluminium. Tamisez le liquide de cuisson dans une autre casserole. Portez à ébullition et laissez-le bouillir de 15 à 20 minutes. Vérifiez l'assaisonnement. Tranchez le rôti et nappez-le de sauce.

Ingrédients

1 c. à soupe d'huile d'olive
épaule de porc, désossée et roulée d'environ 3 kg (6 lb)
375 ml (1 1/2 tasse) de bouillon

Marinade :

1 bouteille de vin rouge
375 ml (1 1/2 tasse) d'huile d'olive
6tomates italiennes, coupées en deux sur la longueur
6 gousses d'ail, dégermées et écrasées
2 carottes tranchées
4 tiges de céleri, tranchées
1 blanc de poireau, tranché
1 c. à thé de cumin moulu
1/2 bouquet de menthe hachée
3 tiges de thym
2 feuilles de laurier

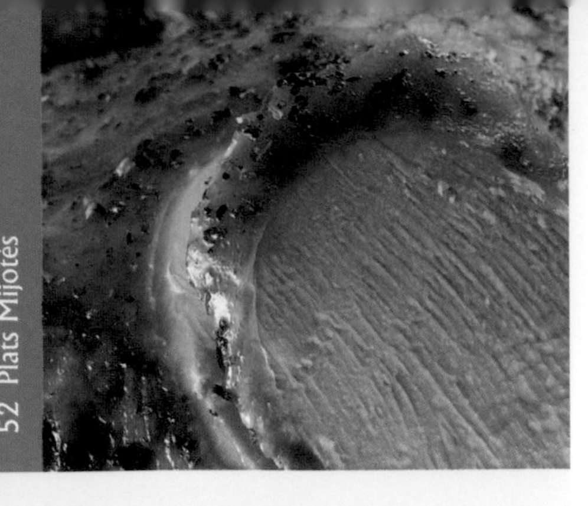

Dinde rôtie, à la française

Ingrédients

1 dinde de 24 kg (12 lb)
Sel et poivre du moulin
1 tête d'ail, gousses séparées
4 tiges de thym
4 tiges de romarin
3 feuilles de laurier
3 c. à soupe de beurre fondu

Préchauffez le four à 325 °F (160 °C).
Rincez la dinde et asséchez-la. Coupez les ailes et réservez avec les abats.
Salez et poivrez la volaille. Repliez la peau du cou sous la dinde et fixez-la à l'aide d'une petite brochette (attache-volaille).
Dans une lèchefrite, déposez les abats, l'ail, le thym, le romarin et les feuilles de laurier. Déposez-y la dinde et badigeonnez-la de beurre fondu.
Faites-la rôtir de 3 h 00 à 3 h 30 ou jusqu'à ce qu'un thermomètre à viande, inséré dans une cuisse, affiche 180 °F (90 °C) et que le jus soit clair, arrosez quelques fois durant la cuisson.
Couvrez d'une tente de papier d'aluminium et laissez reposer la dinde 15 minutes avant de découper. Tamisez le jus de cuisson, dégraissez et servez en saucière.

Cochon de lait, rôti au four

Ingrédients

250 g (1/2 lb) de lard gras
Gousses de 1 tête d'ail, dégermées et légèrement écrasées
4 clous de girofle, écrasés
1 cochon de lait de 5 kg (10 lb)
Sel
1/2 bouteille de vin blanc sec
250 g (1/2 lb) d'oignons tranchés
1 c. à soupe de persil haché
1 c. à soupe d'origan séché
Sel et poivre du moulin

Préchauffez le four à 450 °F (230 °C).
Dans une poêle, faites fondre le lard. Ajoutez la moitié des gousses d'ail et des clous de girofle. Gardez au chaud.
Faites une incision dans le ventre du cochon de lait ou demandez à votre boucher de le faire. Gardez le dos du cochon de lait intact, mais ouvrez le ventre. Salez. Déposez le porcelet, côté ventre, dans une grande rôtissoire, beurrée. Versez le vin et ajoutez 1 c. à soupe d'eau. Cuisez au four 10 minutes. Réduisez le four à 350 °F (180 °C) et laissez rôtir jusqu'à ce que la chair commence à brunir. Ne la laissez pas coller à la rôtissoire. Tournez le porcelet de côté et percez la peau à l'aide d'une grosse fourchette.
Continuez de cuire, en badigeonnant souvent de gras de lard à l'ail, pendant 2 h 30 ou jusqu'à ce que la peau du porcelet soit dorée et croustillante. Retirez du four. Badigeonnez de lard à l'ail, salez et poivrez.
Réservez au chaud sous une tente d'aluminium.
Dans une poêle, faites revenir les oignons. Incorporez le persil, l'origan, le reste de l'ail et des clous. Versez un jet de vin blanc. Faites cuire 5 minutes et incorporez au jus de cuisson.
Découpez le cochon de lait et nappez de sauce.
Accompagnez de pommes de terre persillées et d'une salade verte.

Cochon de lait, rôti au four

Poulet aux olives et au balsamique, à la mijoteuse

Goulash à la hongroise

Ingrédients

750 ml (3 tasses) d'oignon haché
1 poivron rouge ou vert, paré et haché
3 gousses d'ail, dégermées et émincées
3 lb de cubes de porc à braiser
Farine tout usage
1 c. à soupe de beurre
1 c. à soupe d'huile
1 boîte de 156 ml (5,5 oz) de concentré de tomates
125 ml (1/2 tasse) d'eau
4 c. à thé de paprika
1 pincée de sel
1 c. à thé de poivre noir du moulin

Dans la mijoteuse, déposez les oignons, le poivron et l'ail. Enrobez les cubes de viande de farine et faites-les dorer dans le beurre et l'huile. Déposez sur les légumes. Mélangez le concentré de tomates, l'eau, le paprika, le sel et le poivre. En napper la viande. Cuire dans la mijoteuse entre 8 et 10 heures à basse intensité. Remuez et servez. Accompagnez de nouilles au beurre et d'un bol de crème sûre.

N.B. On peut remplacer le porc par du bœuf.

Poulet aux olives et au balsamique, à la mijoteuse

Ingrédients

3 1/2 lb de morceaux de poulet (poitrines, pilons et cuisses) désossés
1 c. à soupe d'huile d'olive
1 gros oignon rouge, finement haché
5 gousses d'ail, dégermées et hachées
1 c. à thé de sel
1/2 c. à thé de grains de poivre, grossièrement moulus
1/2 c. à thé de thym séché
2 tasses de tomates, pelées et hachées
1/2 tasse de bouillon de poulet
2 c. à soupe de vinaigre balsamique
2 c. à soupe d'olives conservées dans l'huile, dénoyautées et hachées
2 c. à soupe de câpres
Persil haché

Dans une grande poêle, faites dorer le poulet dans l'huile, à feu moyen-élevé. Déposez-le dans la mijoteuse. Réduisez à feu moyen. Faites sauter l'oignon dans la poêle, en remuant, jusqu'à ce qu'il ait ramolli. Ajoutez l'ail, le sel, le poivre et le thym et laissez cuire 1 minute, en remuant. Ajoutez les tomates, le bouillon et le vinaigre. Portez à ébullition et versez sur le poulet. Ajoutez les olives et les câpres. Couvrez la mijoteuse et laissez cuire entre 4 et 6 heures à basse intensité. Note : Avant de servir, vérifiez toujours la cuisson. Et repartez la mijoteuse pour 30 minutes à 1 heure, si le mets n'est pas à votre goût.

Remuez et servez. Parsemez chaque portion de persil haché.

Dinde de fête, à la française

Dinde de fête, à la française

Ingrédients

Farce :

1 poitrine de poulet, désossée et sans peau

250 g (1/2 lb) de foie gras, en conserve

1 c. à thé de sel

2 blancs d'œufs, froids

250 ml (1 tasse) de crème 15 % à cuisson, froide

Dinde :

1 dinde de 8 à 10 lb (de préférence biologique)

Sel et poivre noir, du moulin

250 g (1/2 lb) de beurre ramolli

500 ml (2 tasses) de bouillon de poulet

Préchauffez le four à 200 °F (100 °C).

Farce : coupez le poulet en cubes. Déposez dans un bol, couvrez et réfrigérez. Coupez le foie gras en cubes, déposez dans un grand bol, couvrez et réfrigérez. Ces ingrédients doivent être froids avant la préparation. Dans le bol du robot culinaire, déposez le poulet et le sel. Actionnez jusqu'à formation d'une pâte. Ajoutez les blancs d'œufs et actionnez jusqu'à homogénéité. Continuez d'actionner tout en versant la crème, jusqu'à homogénéité. À l'aide d'une spatule, incorporez au foie gras. Couvrez et réfrigérez jusqu'à ce que la préparation soit refroidie.

Dinde :

incez et asséchez la dinde. Salez et poivrez l'intérieur et l'extérieur. Farcissez-la et bouchez-en les cavités à l'aide de petites brochettes (attache-volaille).

Badigeonnez la volaille de beurre fondu et déposez-la sur une grille, posée dans une grande rôtissoire épaisse.

Cuisson :

Déposez la rôtissoire sur la plus basse grille du four et laissez cuire la dinde 30 minutes. Montez le four à 250 °F (120 °C) et arrosez la dinde de jus de cuisson. Continuez d'augmenter la chaleur du four de 50 degrés toutes les demi-heures, en arrosant chaque fois de jus de cuisson, durant 1 h 30. Puis, fixez la chaleur du four à 375 °F (190 °C), arrosez la volaille et faites-la dorer de 1 h 30 à 2 heures, en arrosant de temps à autre.

Service : Déposez la dinde dans un plateau et laissez reposer une quinzaine de minutes, sous une tente de papier d'aluminium. Dégraissez le jus de cuisson. Déposez la rôtissoire sur 2 ronds de cuisinière. Versez le bouillon et cuisez, à feu moyen, en grattant le fond avec une cuillère de bois, jusqu'à consistance de sauce. Salez, poivrez et gardez au chaud. Retirez la farce de la dinde et présentez dans un bol de service. Découpez la dinde. Présentez la sauce en saucière.

Ingrédients

3 lb de bœuf

2 branches de céleri coupées en morceaux

2 oignons coupés en morceaux

4 carottes coupées en morceaux

6 pommes de terre pelées et coupées en deux

2 feuilles de laurier

2 c. à soupe de vinaigre de vin

1 c. à thé de sauce Worcestershire

3 tasses d'eau

1 c. à thé de sel

1 c. à thé de poivre

Bœuf aux légumes

Couper la viande en cubes, saler et poivrer.

Déposer les légumes dans la mijoteuse.

Déposer les cubes de bœuf par-dessus les légumes.

Ajouter les feuilles de laurier, le vinaigre, la sauce Worcestershire et l'eau.

Couvrir et laisser mijoter entre 2 et 4 heures à température élevée.

Réduire à basse température et laisser mijoter 8 heures.

Servir.

Ingrédients

1 poulet

4 gousses d'ail

1 oignon

1 branche de céleri

5 branches de thym frais

8 pommes de terre

1 citron

Huile d'olive

Sel et poivre

Poulet rôti au citron

Préchauffez le four à 350 °F (180 °C).

Déposez le poulet dans un grand plat à rôtir. Épongez-le soigneusement.

Épluchez l'oignon et l'ail.

Salez et poivrez l'intérieur de la volaille. Introduisez l'oignon et l'ail laissés entiers, ainsi que 2 branches de thym.

Épluchez les pommes de terre et coupez-les en 8 quartiers.

Déposez-les autour du poulet.

Pressez du citron. Arrosez le poulet et les pommes de terre du jus obtenu.

Arrosez également d'un filet d'huile d'olive la volaille et les légumes.

Parsemez du reste du thym. Salez et poivrez.

Enfournez et laissez cuire 2 heures.

Poulet rôti au citron

Goulash

Poulet à la mijoteuse

Passer le poulet sous l'eau, puis bien l'éponger.

Mettre à l'intérieur du poulet le poivre, le sel, le basilic, l'oignon et l'ail.

Déposer le poulet dans la mijoteuse.

Assaisonner de paprika.

Couvrir et laisser mijoter 8 heures à basse température.

Servir.

Ingrédients

1 poulet (2 ou 3 lb) assez petit pour entrer dans votre mijoteuse

1 oignon coupé en deux

1 gousse d'ail

1 c. à thé de sel

1 c. à thé de poivre

1/2 c. à thé de basilic

1 c. à thé de paprika

Goulash

Déposer les cubes de bœuf dans la mijoteuse

Ajouter l'ail, les oignons, les tomates et les poivrons

Dans un petit bol, mélanger la pâte de tomate, la sauce Worcestershire, la cassonade, le sel, le poivre, le paprika, la moutarde forte et l'eau.

Verser le mélange sur la viande

Couvrir et laisser mijoter 10 heures à basse température

Servir sur du riz

Ingrédients

2 livres de bœuf coupé en cubes

1 gousse d'ail hachée

2 oignons tranchés

1 poivron rouge coupé en morceaux

1 conserve de tomates de 19 OZ

4 c. à s. de pâte de tomate

2 c. à s. de sauce Worcestershire

1 c. à s. de cassonade

1 c. à t. de sel

1 c. à t. de poivre

2 c. à t. de paprika

1 c. à t. de moutarde de dijon

1/4 tasse de farine

1/2 tasse d'eau

Pain de viande à l'ancienne

Ragoût paysan

Ingrédients

2 lb de bœuf coupé en cubes
1 tasse de bouillon de bœuf
3 tasses d'eau
1 oignon haché
3 carottes coupées en morceaux
1 branche de céleri coupée en morceaux
2 pommes de terre pelées et coupées en dés
1 navet pelé et coupé en dés
1/2 tasse de farine
2 c. à soupe d'huile d'olive
2 feuilles de laurier
1 c. à thé de sel
1 c. à thé de poivre
1 c. à thé de sucre

Rouler la viande dans la farine, puis mettre le restant de farine de côté.
Déposer les légumes dans la mijoteuse.
Ajouter la viande, les feuilles de laurier, le bouillon de bœuf, le sel, le poivre et le sucre. Ajouter les 3 tasses d'eau.
Couvrir et laisser mijoter à basse température entre 8 et 10 heures.
Servir.

ASTUCE :

Si la sauce n'est pas assez épaisse, vous pouvez délayer votre restant de farine dans un peu d'eau et la mélanger avec votre ragoût, puis laisser mijoter une dizaine de minutes supplémentaires.

Pain de viande à l'ancienne

Ingrédients

1 1/2 lb de bœuf haché maigre
16 biscuits soda
2 œufs
1 oignon haché
1/2 poivron rouge haché
1/4 de tasse de sauce chili
1/4 de tasse de lait
1/2 c. à thé de sel
1/2 c. à thé de poivre

Graisser le fond et les parois de la mijoteuse.
Émietter les biscuits soda.
Dans un grand bol, mélanger les biscuits émiettés, les œufs, l'oignon, le poivron, le sel, le poivre, le lait et la sauce chili.
Ajouter le bœuf haché.
Façonner un pain circulaire de 5 po (12,5 cm) de diamètre.
Déposer le pain dans la mijoteuse.
Couvrir et laisser mijoter à basse température entre 8 et 10 heures.
Servir.

Boulettes sauce tomate

Ingrédients

1 1/2 lb de bœuf haché maigre
1/2 tasse de chapelure
2 œufs
1/4 de tasse de lait
1 tasse de bouillon de bœuf
1 boîte de pâte de tomate
1 gousse d'ail hachée
1/4 de tasse de parmesan râpé
1/2 c. à thé de sel
1/2 c. à thé de poivre
1/2 c. à thé d'origan
1/2 c. à thé de basilic
1/2 c. à thé de thym

Dans un bol, mélanger le bœuf haché, la chapelure, les œufs, le lait, le parmesan, l'ail, le sel, le poivre, l'origan, le basilic et le thym.
Faire des boulettes d'environ 1,5 po (4 cm).
Déposer les boulettes au fond de la mijoteuse.
Mélanger le bouillon de bœuf et la pâte de tomate.
Verser le mélange sur les boulettes.
Couvrir et laisser cuire à basse température entre 6 et 8 heures.
Servir avec vos pâtes préférées !

Côtelettes de porc à la mijoteuse

Ingrédients

4 côtelettes de porc maigre
1 c. à thé de moutarde de Dijon
1 tasse de bouillon de poulet
1 gousse d'ail
1/2 c. à thé de sel
1/2 c. à thé de poivre
1 c. à thé de paprika

Enlever le surplus de gras des côtelettes de porc.
Dans un bol, mélanger la moutarde, l'ail et les épices avec le bouillon de poulet.
Déposer les côtelettes dans la mijoteuse.
Verser le mélange sur les côtelettes.
Couvrir et laisser mijoter entre 6 et 8 heures à basse température.

Côtelettes de porc à la mijoteuse

Sauce à spaghetti mijotée

Fèves au lard du dimanche

Ingrédients

1 lb de fèves séchées
1 lb de lard
4 piments secs
1/4 de tasse de mélasse
1/2 tasse de cassonade
2 tasses (environ) d'eau

Mettre les fèves dans un grand bol et les couvrir d'eau.
Laisser tremper 12 heures.
Égoutter les fèves et les mettre dans la mijoteuse.
Les recouvrir d'eau.
Ajouter les piments, couvrir et laisser mijoter 3 heures à température élevée. Couper le lard en petits cubes.
Ajouter la mélasse, la cassonade et le lard.
Couvrir et laisser mijoter entre 8 et 10 heures à basse température.
Bien brasser et servir.

Sauce à spaghetti mijotée

Ingrédients

1 lb de bœuf haché maigre
1 gousse d'ail hachée
1 oignon haché
1 poivron jaune coupé en morceaux
2 boîtes (19 oz) de tomates en dés
1 boîte de pâte de tomate
2 c. à soupe d'aneth
1 c. à thé d'origan
1 c. à thé de basilic
1 feuille de laurier
1/2 c. à thé de poivre
1 c. à soupe d'huile d'olive

Dans une poêle, faire chauffer l'huile d'olive.
Faire revenir l'ail, l'oignon et le poivron.
Ajouter le bœuf haché et faire revenir jusqu'à ce que la viande ait perdu sa teinte rosée. Retirer du feu.
Ajouter le restant des ingrédients et bien mélanger.
Déposer le mélange dans la mijoteuse, couvrir et laisser mijoter entre 6 et 8 heures à basse température.
Servir sur les pâtes de votre choix.

Ragoût aux légumes d'automne

Ingrédients

- 2 tasses de bouillon de bœuf
- 1 1/2 lb de cubes de bœuf
- 2 tranches de bacon coupées en morceaux
- 1 oignon haché
- 5 ou 6 pommes de terre pelées et coupées en morceaux
- 2 carottes pelées et coupées en rondelles
- 2 branches de céleri coupées en rondelles
- 2 navets pelés et coupés en morceaux
- 1 feuille de laurier
- 1 c. à thé de romarin séché
- 1/4 de c. à thé de poivre
- 2 c. à soupe de farine
- 2 c. à soupe d'eau
- 1 c. à soupe de persil frais haché
- 1 c. à soupe d'huile d'olive

Dans une casserole, faire chauffer l'huile d'olive.

Ajouter le bacon, les cubes de bœuf et l'oignon.

Faire revenir jusqu'à ce que le bacon soit cuit et que le bœuf ait perdu sa teinte rosée.

Mettre le contenu de la casserole dans la mijoteuse.

Ajouter le bouillon de bœuf, les pommes de terre, les carottes, le céleri, les navets, la feuille de laurier, le romarin, le persil et le poivre.

Couvrir et laisser mijoter entre 7 et 9 heures à basse température.

Délayer la farine dans l'eau et l'ajouter au contenant de la mijoteuse en mélangeant bien.

Couvrir et laisser mijoter 15 minutes de plus à température élevée.

Servir.

Ragoût aux légumes d'automne

Poitrines de poulet ail et citron

Ingrédients

2 lb de poitrines de poulet désossées et sans peau
1/4 de tasse d'eau
2 c. à soupe de bouillon de poulet
4 c. à soupe de jus de citron
4 gousses d'ail hachées
1 1/2 c. à thé d'origan
1/2 c. à thé de gros sel
1/2 c. à thé de poivre
2 c. à soupe de persil frais haché
2 c. à soupe d'huile d'olive

Dans un bol, mélanger l'origan, le sel et le poivre.
Saupoudrer les poitrines de poulet avec le mélange.
Dans une casserole, faire chauffer l'huile d'olive. Y faire revenir les poitrines de poulet jusqu'à ce qu'elles atteignent une teinte dorée.
Retirer les poitrines de poulet de la casserole et les déposer dans la mijoteuse.
Dans la casserole, mettre l'eau, le jus de citron, le bouillon de poulet, l'ail et le persil. Porter à ébullition en mélangeant bien.
Verser le mélange sur les poitrines de poulet.
Couvrir et laisser mijoter entre 2 et 4 heures à température élevée.
Servir accompagné de pâtes ou de riz.

Poitrines de poulet aux champignons et au vin

Ingrédients

3 lb de poitrines de poulet désossées et sans peau
1 3/4 tasse de champignons portobello tranchés
1 oignon haché
2 gousses d'ail hachées
3/4 de tasse de bouillon de poulet
1 boîte de pâte de tomate
1/4 de tasse de vin blanc sec
2 c. à soupe de basilic frais haché
2 c. à thé de sucre en poudre
1/4 de c. à thé de sel
1/2 c. à thé de poivre
1/4 de tasse de parmesan frais râpé

Déposer les champignons, les oignons et l'ail dans la mijoteuse.
Placer les poitrines de poulet par-dessus.
Dans un bol, mélanger le bouillon de poulet, la pâte de tomate, le vin blanc, le sel, le poivre et le sucre.
Verser le mélange sur le poulet.
Couvrir et laisser mijoter entre 6 et 8 heures à basse température.
Dix minutes avant la fin de la cuisson, ajouter le basilic.
Saupoudrer de parmesan râpé et servir avec du riz ou des pâtes.

Poitrines de poulet aux champignons et au vin

Pudding au riz à la mijoteuse

Pudding au chocolat blanc

Ingrédients

1/3 de tasse de canneberges séchées
1/3 de tasse de sucre
3 c. à soupe de brandy ou de bourbon
3 oz de chocolat blanc
2 c. à soupe de beurre
2 tasses de croûtons de pain
4 œufs
1 c. à soupe de crème 10 %
1 c. à thé d'essence de vanille

Faire tremper les canneberges dans le brandy jusqu'à ce qu'elles soient bien imbibées (environ 1 heure).
Couper le chocolat blanc en morceaux.
Bien graisser l'intérieur de la mijoteuse avec du beurre.
Mettre la moitié des croûtons de pain dans le fond de la mijoteuse.
Ajouter la moitié des canneberges et du chocolat blanc.
Ajouter le restant du pain, des canneberges, puis du chocolat.
Dans un bol, battre les œufs et le sucre jusqu'à l'obtention d'une texture lisse.
Ajouter la crème et l'essence de vanille en mélangeant constamment.
Verser le mélange sur les croûtons de pain, en s'assurant qu'ils soient bien imbibés.
Laisser mijoter 1 3/4 heure à température élevée.
Servir chaud.

Pudding au riz à la mijoteuse

Ingrédients

1 1/2 tasse de riz cuit
2 tasses de crème 10 %
3/4 de tasse de raisins secs
3 œufs
2/3 de tasse de sucre
1/2 c. à thé de muscade
2 c. à thé d'essence de vanille

Graisser le fond de la mijoteuse avec du beurre.
Dans un bol, mélanger les œufs, la crème, le sucre et l'essence de vanille à l'aide d'un mélangeur.
Incorporer le riz et les raisins secs.
Verser le mélange dans la mijoteuse.
Saupoudrer de muscade.
Laisser mijoter environ 2 1/2 heures à basse température.
Réfrigérer, puis servir.

Dessert aux bananes à la mijoteuse

Ingrédients

1/2 tasse de beurre

1/4 de tasse de cassonade

6 bananes pelées et coupées en rondelles (1 po)

1/4 de tasse de rhum brun

Faire fondre le beurre à feu doux dans la mijoteuse.

Lorsque le beurre est entièrement fondu, ajouter la cassonade et bien mélanger.

Ajouter les bananes et le rhum.

Laisser mijoter environ 1 heure à basse température.

Servir avec de la crème glacée à la vanille.

Compote de pommes et patates douces

Ingrédients

4 pommes de terre douces pelées et coupées en morceaux

2 grosses pommes rouges, pelées, épépinées et coupées en morceaux

de lb de beurre fondu

1/2 tasse de cassonade

1/2 tasse de jus de pomme naturel

1 c. à thé de cannelle

1 c. à thé de muscade

Déposer les morceaux de pomme de terre et de pomme dans la mijoteuse.

Mélanger la cassonade avec le beurre fondu, puis verser le mélange sur les pommes et les pommes de terre.

Ajouter le jus de pomme.

Saupoudrer de cannelle et de muscade.

Laisser mijoter entre 6 et 8 heures à basse température.

Servir.

e pommes et patates douces

Compote de pomme mijotée

Pain aux noix et aux abricots

Déposer les abricots sur une planche à découper, puis les saupoudrer d'une c. à soupe de farine.
Tremper un couteau dans la farine, puis couper les abricots en tranches. (Répéter cette opération régulièrement pour éviter que les abricots collent au couteau.)
Dans un grand bol, mélanger le restant de farine, la poudre à pâte, le bicarbonate de soude, le sucre et le sel.
Dans un deuxième bol, mélanger le lait, l'œuf, le zeste d'orange et l'huile.
Ajouter ce mélange au mélange sec.
Ajouter les abricots et les pacanes.
Mettre le mélange dans une casserole d'aluminium assez petite pour entrer à l'intérieur de la mijoteuse et couvrir.
Placer du papier d'aluminium chiffonné dans le fond de la mijoteuse.
Déposer la casserole sur le papier d'aluminium.
Placer le couvercle de la mijoteuse en laissant un petit espace pour permettre à l'excès de vapeur de s'échapper.
Laisser mijoter entre 4 et 6 heures à température élevée.
Servir.

Ingrédients

3/4 de tasse d'abricots séchés
1 tasse de farine tout usage
1/2 tasse de farine de blé entier
1/2 tasse de sucre
3/4 de tasse de lait
1 œuf
1 tasse de pacanes coupées en morceaux
1 c. à thé de zeste d'orange
2 c. à thé de poudre à pâte
1/4 de c. à thé de bicarbonate de soude
1/2 c. à thé de sel
1 c. à soupe d'huile végétale

Compote de pomme mijotée

Déposer les pommes dans la mijoteuse.
Ajouter le reste des ingrédients.
Couvrir et laisser mijoter entre 4 et 6 heures à basse température, ou jusqu'à ce que les pommes soient molles.
Mélanger et servir.

Ingrédients

10 pommes rouges du Québec pelées, épépinées et coupées en morceaux
1/2 tasse d'eau
3/4 de tasse de cassonade
1 c. à thé de cannelle
1 c. à thé de muscade
1/2 c. à thé de clou de girofle moulu

Pudding aux dates et aux pommes

Gâteau au chocolat et au beurre d'arachide

Ingrédients

1 tasse de farine tout usage
1/2 tasse de sucre en poudre
3/4 de tasse de sucre
2 c. à soupe de cacao
1 1/2 c. à thé de poudre à pâte
1/2 tasse de lait
2 c. à soupe d'huile végétale
1 c. à thé d'essence de vanille
3/4 de tasse de pépites de beurre d'arachide
1/4 de tasse de cacao
2 tasses d'eau bouillante
1/2 tasse de beurre d'arachide crémeux.

Graisser le fond de la mijoteuse avec du beurre.
Dans un grand bol, mélanger la farine, le sucre en poudre, les 2 cuillères de cacao et la poudre à pâte.
Ajouter le lait, l'huile et l'essence de vanille et mélanger jusqu'à l'obtention d'une pâte lisse. Ajouter les pépites de beurre d'arachide et bien mélanger
Déposer la pâte dans la mijoteuse et bien l'étendre.
Dans un deuxième bol, mélanger le sucre et le1/4 de tasse de cacao.
Mélanger l'eau chaude et le beurre d'arachide, puis ajouter le mélange au sucre et au cacao.
Verser le mélange sur la pâte.
Couvrir et laisser mijoter environ 2 heures à température élevée.
Laisser reposer 30 minutes.
Servir.

Pudding aux dates et aux pommes

Ingrédients

5 pommes rouges pelées, épépinées et coupées en morceaux
3/4 de tasse de sucre en poudre
1/2 tasse de dates dénoyautées et coupées en morceaux
1/2 tasse de pacanes rôties et coupées en morceaux.
2 c. à soupe de farine
1 c. à soupe de poudre à pâte
1/4 de c. à thé de sel
1/4 de c. à thé de muscade
1/4 de c. à thé de cannelle
2 c. à soupe de beurre fondu
1 œuf battu

Graisser le fond de la mijoteuse avec du beurre.
Déposer les pommes, les dates, le sucre et les pacanes dans la mijoteuse. Dans un bol, mélanger la farine, la poudre à pâte, le sel, la muscade et la cannelle. Saupoudrer les fruits et les noix avec le mélange.
Ajouter le beurre fondu et bien mélanger.
Ajouter l'œuf battu.
Couvrir et laisser mijoter environ 3 1/2 heures à basse température.
Servir.

Dessert aux granolas et aux pommes

Ingrédients

4 pommes de taille moyenne pelées, épépinées et coupées en tranches

2 tasses de céréales granolas aux noix

1/4 de tasse de miel

2 c. à soupe de beurre

1 c. à thé de cannelle moulue

1/2 c. à thé de muscade

Déposer les tranches de pomme et les céréales granolas dans la mijoteuse.

Dans un bol, mélanger le miel, le beurre, la cannelle et la muscade.

Verser le mélange sur les pommes et les granolas et bien mélanger.

Couvrir et laisser mijoter entre 6 et 8 heures à basse température.

Servir avec de la crème glacée.

Délice au chocolat

Ingrédients

1 paquet de mélange à gâteau au chocolat

1 tasse de crème sûre

1 tasse de pépites de chocolat sucrées

1 tasse d'eau

4 œufs

3/4 de tasse d'huile végétale

1 paquet de pudding instantané au chocolat (pour 4 personnes).

Badigeonner l'intérieur de la mijoteuse de beurre.

Dans un bol, mélanger tous les ingrédients. Verser le mélange dans la mijoteuse.

Couvrir et laisser mijoter entre 3 et 4 heures à température élevée.

Servir chaud avec de la crème glacée.

Délice au chocolat

Porc au barbecue à la mijoteuse

Jambon à l'orange

Ingrédients

1 morceau de jambon d'environ 7 lb

2 tasses de jus d'orange

1 c. à soupe de zeste d'orange

1 tasse de cassonade

1 bâton de cannelle

Clous de girofle

Poivre

À l'aide d'un couteau, retirer la peau et le gras du jambon, puis dessiner des losanges sur le dessus et les côtés du jambon.
Dans une casserole, mélanger le jus d'orange, le zeste, la cassonade, le bâton de cannelle, les clous de girofle et le poivre. Laisser mijoter 15 minutes à feu moyen en brassant de temps à autre. Réserver.
Déposer le morceau de jambon dans la mijoteuse.
Couvrir et laisser mijoter 6 heures à basse température. Retirer le couvercle et enlever le gras accumulé dans le fond de la mijoteuse.
Verser le mélange sur le jambon, couvrir et laisser mijoter entre 2 et 3 heures à haute intensité.
Retirer le jambon de la mijoteuse et le placer sur une planche à découper. Laisser reposer 10 minutes et servir.

Porc au barbecue à la mijoteuse

Ingrédients

2 lb de côtelettes de porc

1 oignon pelé et coupé en rondelles

1 poivron rouge coupé en rondelles

1 tasse de ketchup

2 c. à soupe de sauce chili

1/4 de tasse d'eau

2 c. à soupe de vinaigre de vin rouge

1 c. à soupe de jus de citron

- c. à thé de sauce Worcestershire

1/4 de c. à thé de sauce piquante

2 c. à thé de moutarde de Dijon

1 c. à thé de poudre de chili

1 gousse d'ail hachée

3 c. à soupe de cassonade

Sel et poivre

Dans un bol, mélanger le ketchup, la sauce chili, l'eau, le vinaigre de vin, le jus de citron, la sauce Worcestershire, la sauce piquante, la moutarde de Dijon, la poudre de chili, l'ail, la cassonade, le sel et le poivre.
Placer les côtelettes dans la mijoteuse, et les couvrir avec les rondelles d'oignon et depoivrons.
Verser la sauce par-dessus les oignons et les poivrons.
Couvrir et laisser mijoter entre 6 et 8 heures à basse température.
Servir

Macaroni au fromage à la mijoteuse

Ingrédients

3 tasses de macaronis cuits
1 c. à soupe de beurre
2 tasses de lait évaporé
3 tasses de fromage cheddar râpé
1/4 de tasse d'oignon haché
Sel et poivre

Mettre tous les ingrédients dans la mijoteuse et bien mélanger.
Couvrir et laisser mijoter 2 ou 3 heures à température élevée en brassant de temps à autre.
Servir.

Poulet entier

Ingrédients

1 poulet entier
1/4 de tasse de paprika
1 c. à soupe de cassonade
2 c. à thé de sel
1 c. à thé de sel de céleri
1 c. à thé de poivre
1 c. à thé de poivre de Cayenne
1 c. à thé de moutarde sèche
1 c. à thé de poudre d'ail
1 c. à thé de poudre d'oignon
Papier d'aluminium

Rouler le papier d'aluminium en 8 boules de 1 po (2,5 cm) et les déposer au fond de la mijoteuse.
Passer le poulet sous l'eau puis l'éponger.
Dans un bol, mélanger tous les ingrédients.
Badigeonner tout le poulet avec le mélange, sans oublier l'intérieur.
Déposer le poulet sur les boules d'aluminium, couvrir et laisser mijoter entre 6 et 8 heures à température élevée.
Servir

Poulet entier

Patates pilées à l'ail

Ingrédients

6 pommes de terre pelées et coupées en morceaux
5 gousses d'ail hachées
1 oignon pelé et haché
2 c. à soupe d'huile d'olive
2/3 de tasse d'eau
1 tasse de fromage à la crème
2 c. à soupe de beurre
1/2 tasse de crème 10 %
Sel et poivre

Placer les morceaux de pommes de terre au fond de la mijoteuse.
Ajouter l'eau, le beurre,l'ail, l'oignon, le sel et le poivre et mélanger pour que toutes les pommes de terre soient imbibées.
Couvrir et laisser mijoter entre 2 et 4 heures à température élevée.
Ajouter le lait et piler les pommes de terre à l'aide d'une fourchette.
Ajouter le fromage à la crème et piler de nouveau jusqu'à l'obtention de la texture désirée.
Servir.

Lasagne à la mijoteuse

Ingrédients

1 c. à soupe d'huile d'olive
1 lb de bœuf haché maigre
1 oignon pelé et coupé en morceaux
3 gousses d'ail hachées
1 pot de sauce à spaghetti ou de sauce tomate
1 paquet de pâtes à lasagne non cuites
1 1/2 tasse de mozzarella râpée
1 contenant (475 g) de ricotta
1 œuf
1/3 de tasse de lait
1 tasse de parmesan râpé
Sel et poivre

Dans une casserole, faire chauffer l'huile d'olive.
Ajouter le bœuf haché, l'ail et l'oignon et les faire revenir jusqu'à ce que le bœuf haché ait perdu sa teinte rosée.
Ajouter la sauce à spaghetti.
Dans un bol, mélanger la ricotta, le lait et l'œuf jusqu'à l'obtention d'une texture lisse. Ajouter du sel et du poivre.
Badigeonner de beurre les parois de la mijoteuse, puis couvrir le fond de sauce. Déposer une couche de pâte sur la sauce, puis 1/3 du mélange de ricotta et 1/4 de la sauce. Ajouter la mozzarella et le parmesan. Répéter l'opération deux autres fois.
Terminer avec une couche de sauce, de mélange de ricotta, de mozzarella puis de parmesan.
Couvrir et laisser mijoter entre 4 et 6 heures.
Servir.

Lasagne à la mijoteuse

Riz sauvage à la mijoteuse

Chou-fleur gratiné à la mijoteuse

Ingrédients

3 tasses de riz cuit
1 tête de chou-fleur en morceaux
1 boîte de crème de champignons
1 tasse de champignons de Paris tranchés
2 tasses de cheddar râpé
1/2 tasse d'eau
1 oignon pelé et coupé en morceaux
Sel et poivre

Badigeonner les bords de la mijoteuse de beurre.
Placer tous les ingrédients dans la mijoteuse et mélanger afin que le chou-fleur soit bien imbibé.
Couvrir et laisser mijoter 5 heures à basse température.
Servir.

Riz sauvage à la mijoteuse

Ingrédients

2 tasses de riz sauvage
1/2 tasse d'oignon pelé et haché
1 3/4 tasse de bouillon de poulet
1/2 tasse d'eau
1/2 tasse de champignons en conserve tranchés, avec le jus
1 c. à thé de thym
Sel et poivre

Badigeonner de beurre les parois de la mijoteuse.
Passer le riz sous l'eau et bien égoutter.
Placer tous les ingrédients dans la mijoteuse et bien les mélanger.
Couvrir et laisser mijoter entre 2 et 4 heures à température élevée.
Servir.

Riz et brocoli au fromage

Poivrons et aubergines à la mijoteuse

Placer les rondelles d'aubergines, l'oignon, le poivron, les tomates, la pâte de tomate, les champignons, l'ail, le sucre, le vin, l'eau, le parmesan et l'origan dans la mijoteuse.
Bien mélanger pour que les légumes soient imbibés.
Couvrir et laisser mijoter entre 6 et 8 heures à basse température.
Ajouter les olives, les noix, le persil et assaisonner de sel et de poivre.
Servir.

Ingrédients

1 aubergine pelée et tranchée en rondelles de 1/2 po
1 oignon pelé et haché
1 poivron vert épépiné et coupé en morceaux
1 boîte (28 oz) de tomates à l'italienne coupées en deux
1 boîte (5,5 oz) de pâte de tomates
1/2 tasse de champignons de Paris tranchés
2 gousses d'ail hachées
1/4 de tasse de vin rouge
1/4 de tasse d'eau
1/2 tasse d'olives kalamata dénoyautées
1/2 tasse de parmesan râpé
1 c. à thé de sucre
1 c. à thé d'origan
3 c. à soupe de persil frais haché
2 c. à soupe de noix de pins
Sel et poivre

Riz et brocoli au fromage

Badigeonner les bords de la mijoteuse de beurre.
Placer le riz, le brocoli, les oignons, le lait évaporé et la crème de champignons dans la mijoteuse. Bien mélanger.
Ajouter le fromage cheddar.
Couvrir et laisser mijoter de 5 à 6 heures à basse température.

Ingrédients

1 tasse de riz instantané
4 tasses de brocoli congelé (dégelé)
1 1/2 tasse d'oignons pelés et hachés
1 boîte (12 oz) de lait évaporé
1 boîte de crème de champignons
1 1/4 tasse de cheddar fort râpé

Index

Collection **malins plaisirs**

Des livres qui mettent l'eau à la bouche!

seulement 9,95$

De la même collection, découvrez aussi :

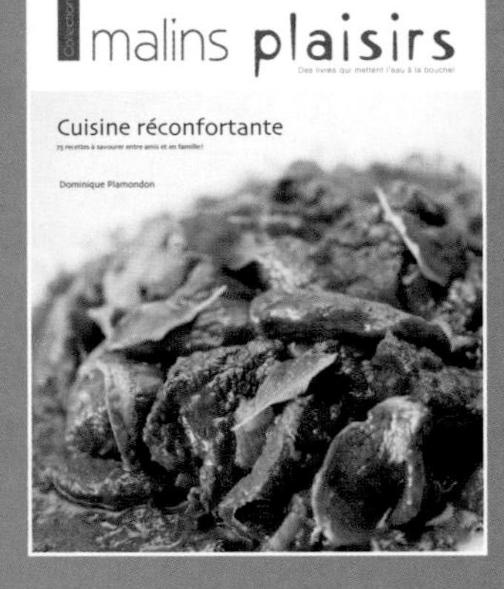